An Chailleach

Enric Lluch / Óscar T. Pérez

LEABHAR
BREAC

Bhí ocras ar an gCailleach Liath. Ach ní raibh le hithe sa teach ach coiníní draíochta agus úlla nimhneacha. Thug an Chailleach Mhór liosta siopadóireachta di agus chuir sí go dtí an baile mór í.

Chuir an Chailleach Liath scaif ar a héadan.
'Ní aithneoidh duine ar bith mé!' ar sí.
Ag an teach ósta, bhreathnaigh sí isteach
tríd an bhfuinneog agus chonaic sí daoine ag
ithe agus ag ól.
Tháinig ocras uirthi arís. Isteach léi.

Chun greim bia a ithe, b'éigean don Chailleach Liath an scaif a bhaint dá héadan.

Nuair a chonaic na daoine a héadan bhéic siad: 'Cailleach! Cailleach!' agus rith siad amach.

Ní raibh dhá ghreim ite ag an gCailleach
Liath nuair a tháinig na gardaí ina diaidh.
'A ghardaí,' arsa na daoine leo, 'tá cailleach
ghránna sa teach ósta!'
Ach bhí an chailleach imithe.

Isteach leis an gCailleach Liath sa siopa grósaera. Thaispeáin sí an liosta d'fhear an tsiopa.

Thug sé úll di.

'Sin úll breá mór,' ar sé. 'Beidh tú in ann seacht gcineál nimhe a chur ann.'

Ansin chuaigh sí go dtí an siopa búistéara agus thaispeáin sí an liosta don bhúistéir.

Thug an búistéir coinín bán di.

D'íoc an Chailleach Liath as an gcoinín agus thug sí léi é.

Nuair a a tháinig sí abhaile, thaispeáin sí an coinín bán agus an t-úll don Chailleach Mhór.

'Táim bréan de choiníní bána agus d'úlla nimhe,' arsa an Chailleach Liath. 'Ba mhaith liom rud éigin difriúil a ithe.'

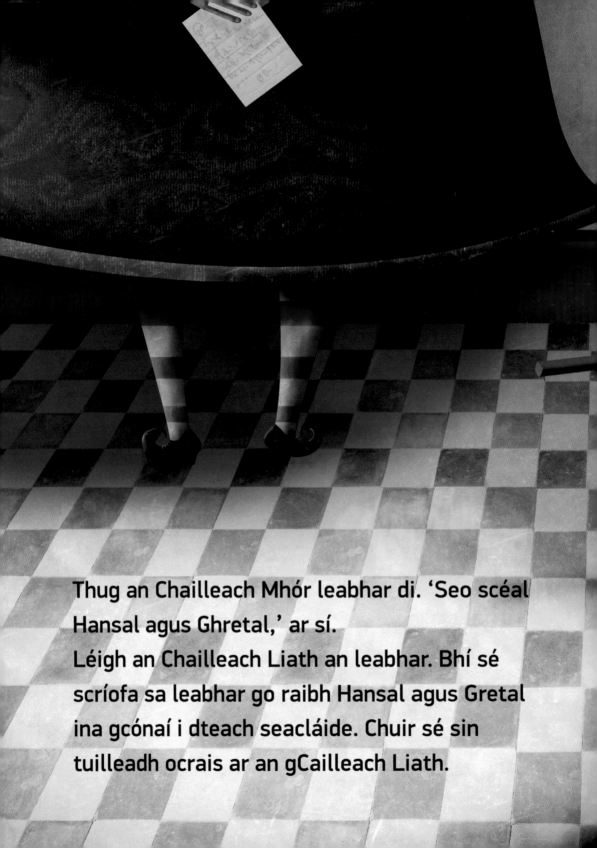

Thug an Chailleach Mhór leabhar di. 'Seo scéal Hansal agus Ghretal,' ar sí.

Léigh an Chailleach Liath an leabhar. Bhí sé scríofa sa leabhar go raibh Hansal agus Gretal ina gcónaí i dteach seacláide. Chuir sé sin tuilleadh ocrais ar an gCailleach Liath.

Thug an Chailleach Liath léi an coinín bán,
agus chuaigh sí in airde ar a scuab agus
thug sí cuairt ar an teach seacláide. Bhí
Hansal agus Gretal faoi ghlas sa teach.
'Bruithfidh mé sibh in éineacht leis an
gcoinín,' ar sí leo.

Chrom an Chailleach Liath chun
tine a lasadh san oigheann.
'Ná déan,' arsa Gretal. 'Le do
thoil, ná déan.'
Ach níor thug an Chailleach Liath
aon aird uirthi.

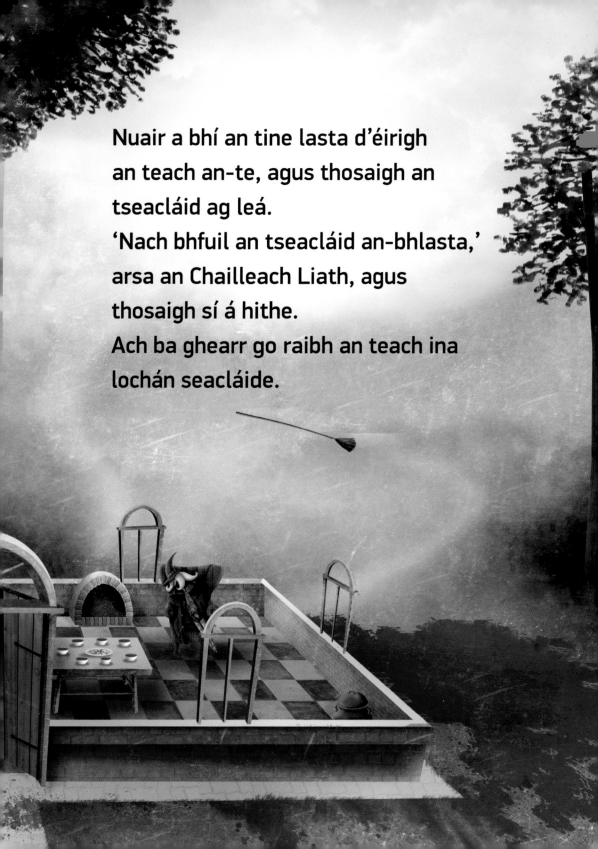

Nuair a bhí an tine lasta d'éirigh
an teach an-te, agus thosaigh an
tseacláid ag leá.
'Nach bhfuil an tseacláid an-bhlasta,'
arsa an Chailleach Liath, agus
thosaigh sí á hithe.
Ach ba ghearr go raibh an teach ina
lochán seacláide.

D'éalaigh Hansal, Gretal, agus an coinín
isteach sa choill.
Bhí an oiread seacláide ite ag an
gCailleach Liath nach raibh sí in ann rith
ina ndiaidh.
Shuigh sí in airde ar an scuab arís agus
d'eitil sí léi.

Cófraí lán ARRACHTAÍ

An Chailleach

Spotaí agus faithní móra gránna.

Hata
mór caillí.

Srón fhada
cham chun
bolú de
nimh.

Bróga bioracha
chun froganna agus
nathracha a scanrú.

Gruaig
caillí.

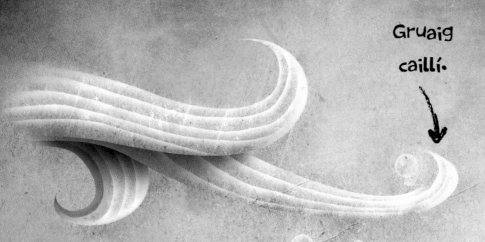

Fiailí chun deochanna
gránna draíochta a
dhéanamh.

Coire mór millteach.

Luch bheag
scanraithe
(agus údar aige!).

Coinneal bheag
dhraíochta.

Go leor leor
nimheanna.

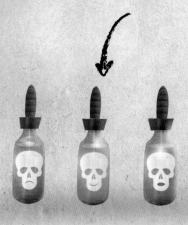

Cos froig agus eireaball
eirc luachra.

Scuab fhada
caillí.

An Chomhairle um Oideachas
Gaeltachta & Gaelscolaíochta

Faigheann Leabhar Breac cúnamh airgid ó Fhoras na
Gaeilge

Foras na Gaeilge

Faigheann Leabhar Breac cúnamh airgid ón
gComhairle Ealaíon

Teideal i gCatalóinis: *La bruixa*
©Enric Lluch Girbés, 2010
    Leagan Gaeilge © Leabhar Breac, 2014
    www.leabharbreac.com
©Ealaín: Óscar Tomás Pérez Sánchez, 2010
©Edicions Bromera
    Polígon Industrial 1
    46600 Alzira (An Spáinn)
    www.bromera.com/monsters
Dearadh: Pere Fuster
Priontáil: PSG
ISBN: 978-1-909907-44-7